中华人民共和国国家标准

橡胶工厂环境保护设计规范

Code for design of environmental protection
of rubber factory

GB 50469 - 2016

主编部门：中国工程建设标准化协会化工分会
批准部门：中华人民共和国住房和城乡建设部
施行日期：2 0 1 7 年 4 月 1 日

中国计划出版社

2016 北 京

中华人民共和国国家标准

橡胶工厂环境保护设计规范

GB 50469-2016

☆

中国计划出版社出版发行

网址：www.jhpress.com

地址：北京市西城区木樨地北里甲11号国宏大厦C座3层

邮政编码：100038　电话：(010) 63906433（发行部）

三河富华印刷包装有限公司印刷

850mm×1168mm　1/32　1.75印张　40千字

2017年3月第1版　2017年3月第1次印刷

☆

统一书号：155182·0018

定价：12.00元

中华人民共和国住房和城乡建设部公告

第1272号

住房城乡建设部关于发布国家标准《橡胶工厂环境保护设计规范》的公告

现批准《橡胶工厂环境保护设计规范》为国家标准，编号为GB 50469—2016，自2017年4月1日起实施。其中，第4.0.1、6.2.8、8.2.4条（款）为强制性条文，必须严格执行。原国家标准《橡胶工厂环境保护设计规范》GB 50469—2008同时废止。

本规范由我部标准定额研究所组织中国计划出版社出版发行。

中华人民共和国住房和城乡建设部

2016年8月18日

前　言

本规范是根据中华人民共和国住房城乡建设部《关于印发2014年工程建设国家标准制订、修订计划的通知》(建标〔2013〕169号)的要求,由中国化学工业桂林工程有限公司与中国石油和化工勘察设计协会会同有关单位,在《橡胶工厂环境保护设计规范》GB 50469—2008的基础上共同修订而成。

本规范共分10章和1个附录,主要内容包括:总则,术语,基本规定,厂址选择与总图布置,废气、粉尘防治,废水防治,噪声防治,固体废物处置,事故应急措施,环境监测等。

本次修订的主要技术内容是:

(1)对原有术语的名称及表述进行了修改和完善;

(2)将"一般规定"独立成章为"基本规定",并完善了相关内容;

(3)将"设计内容"调整为附录A;对不符合现行国家标准《橡胶制品工业污染物排放标准》GB 27632相关规定的部分条款进行了修订;

(4)在"厂址选择与总图布置"中,完善了厂址不应选择的区域,补充了厂区绿地率和固体废物堆场防止扩散的要求;

(5)在"废气、粉尘防治""废水防治""噪声防治""固体废物处置"中增加了"污染源识别";

(6)在"废水防治"中增加了初期雨水收集及事故水池设置内容;

(7)在"固体废物处置"中增加了危险固体废物严禁与一般工业固体废物混合收集、装运与堆存的内容;

(8)在"噪声防治"中增加了噪声限值的内容。

本规范以黑体字标志的条文为强制性条文，必须严格执行。

本规范由住房城乡建设部负责管理和对强制性条文的解释，由中国工程建设标准化协会化工分会负责日常管理，由中国化学工业桂林工程有限公司负责具体技术内容的解释。执行过程中，请各单位结合工程实践，认真总结经验，注意积累资料，随时将意见和建议寄送中国化学工业桂林工程有限公司（地址：广西桂林市七星路77号，邮政编码：541004，电话：0773－5833836，传真：0773－5813749），供今后修订时参考。

本规范主编单位、参编单位、参加单位、主要起草人和主要审查人：

主编单位：中国化学工业桂林工程有限公司
中国石油和化工勘察设计协会

参编单位：全国橡胶塑料设计技术中心
昊华工程有限公司
海工英派尔工程有限公司
软控股份有限公司
北京万向新元科技股份有限公司
青岛高策橡胶工程有限公司

参加单位：双钱集团股份有限公司
风神轮胎股份有限公司
三角轮胎股份有限公司
浦林成山（山东）轮胎有限公司
广州市华南橡胶轮胎有限公司

主要起草人：江建平 王东明 郑玉胜 蔡俊松 李智
吴江 窦冬阳 卢国宇 张清宇 吴建学
侯淳 王龙波 张栋 杨静 宋振华
张魁 杨栋生 王向红 徐伟春 唐红
张凤琴 周红清 李贵君 刘杏 刘魁娟
江奇志 谭靖 刘岩 刘铭 王金昌

阳　洁　李　勇　宫　磊　李　英　朱业胜
姜承法　宫长星　王　丹　沈天民　孔令夫
栾久和　胡　珊

主要审查人: 朱大为　陈春林　傅任平　林　立　刘梦华
孙怀建　郑玉力　张立钢　曲学新　翟观宁
李　程　张　斌　顾卫民　王文浩　张晓新

目　　次

Contents

1 总 则

1.0.1 为防止废气、粉尘、废水、噪声、固体废物对环境造成污染及危害，规范橡胶工厂建设项目环境保护设计，达到清洁生产，合理开发和综合利用资源、节能减排，保持生态平衡的目的，制定本规范。

1.0.2 本规范适用于橡胶工厂新建和改、扩建工程项目的环境保护设计。

1.0.3 橡胶工厂建设项目的环境保护设计应从全局出发，统筹兼顾，做到安全适用，技术先进，经济合理。

1.0.4 橡胶工厂建设项目的环境保护设计除应符合本规范外，尚应符合国家现行有关标准的规定。

2 术　　语

2.0.1 炼胶粉尘　mixing dust

在炼胶生产过程中，炭黑（含白炭黑）粉尘或是以炭黑为主的粉尘（其中含有少量橡胶配合剂），在贮存、解包、输送、称量、投料及混炼过程中因其逸散而悬浮、飞扬在生产车间空气中的生产性粉尘。

2.0.2 热胶废气　milling fume

橡胶制品生产过程中，在机械剪切和加工温度作用下，橡胶和各种配合剂中的低沸点物质和水分以混合气的形式从胶料中逸出而形成的热烟气。

2.0.3 硫化废气　curing fume

残留的橡胶单体以及化学助剂在高温下的分解产物，在硫化设备开模过程中集中散发的热烟气。

2.0.4 有机溶剂挥发气　volatile gas of organic solvent

在胶浆制备和刷浆过程中使用的胶浆或有机溶剂，在生产过程中产生的溶剂挥发气。

2.0.5 初期径流　initial runoff

一场降雨初期产生一定厚度的降雨径流。

3 基本规定

3.0.1 橡胶工厂环境保护设计应符合清洁生产、循环经济、节能减排的要求，污染治理应结合生产工艺的革新，采用可靠、先进的生产工艺和技术装备，使环境保护设计与工艺设计、环境保护措施与生产措施相互协调。生产工艺设计应采用清洁生产新工艺、新技术、新材料和新设备。

3.0.2 橡胶工厂环境保护设计应符合污染物总量控制与浓度控制要求，污染物应达标后排放。

3.0.3 生产过程中产生的具有利用价值的可再生资源，以及废气、废水、固体废物、余热、余压等二次能源，应按清洁生产、循环经济要求，采用有效的综合利用技术。

3.0.4 治理方案选择时，应避免产生二次污染。

3.0.5 橡胶制品生产过程中应减少废水排放，排出的废水应采取清污分流、水资源化利用的处理措施。

3.0.6 固体废物处理应符合减量化、资源化、无害化要求。固体废物处理应根据国家固废分类原则，分类处置。

3.0.7 橡胶工厂建设时，应配套建设环境保护工程设施，并应与主体工程同时设计、同时施工、同时投入使用。

3.0.8 橡胶工厂环境保护设计应依据项目环境影响评价文件及其审批意见，落实污染防治措施。

3.0.9 环境保护设施应包括下列内容：

1 粉尘防治设施；

2 废气净化设施；

3 废水和污水处理设施；

4 噪声防治设施；

5 固体废物处置设施；

6 绿化设施。

3.0.10 建设项目各阶段环境保护设计的主要内容应符合本规范附录A的规定。

3.0.11 环境保护专篇设计应按规定提纲编制相关内容。

4 厂址选择与总图布置

4.0.1 橡胶工厂建设项目的选址必须符合地区环境影响评价和区域规划的要求，并应符合规划环境影响评价和项目环境影响评价的要求。

4.0.2 厂址选择应根据区域规划，结合拟建项目性质、规模和排污特征，以及地区环境容量，经技术经济比较后确定。

4.0.3 厂址不应选择在下列区域内：

1 城市规划确定的生活居住区、文教卫生区；

2 饮用水源保护区；

3 风景名胜区；

4 文化遗产保护区；

5 自然保护区。

4.0.4 厂址应布置在生活居住区等环境保护目标全年最小频率风向的上风侧，防护距离应根据经批准的环境影响报告书(表)的数据确定。

4.0.5 橡胶工厂的行政管理和生活设施应布置在靠近厂外生活居住区的一侧，并应布置在全年最小频率风向的下风侧。

4.0.6 总平面布置在满足生产需要的前提下，宜将污染源布置在远离非污染区域或厂区中心区域的地带。

4.0.7 橡胶工厂的建设应有绿化规划设计，新建工厂的厂区绿地率不宜低于15%，改、扩建工程的厂区绿地率不宜低于10%，且厂界四周宜设绿化带。

4.0.8 厂区内较大的噪声源不宜布置在靠近厂界的地带。

4.0.9 厂区内固体废物的堆场应采取防扬散、防流失、防渗漏或者其他防止污染环境的措施。

5 废气、粉尘防治

5.1 污染源识别

5.1.1 橡胶制品生产过程产生热胶废气的污染源应包括下列部位：

1 密炼机投料口；

2 密炼机卸料口；

3 密炼机排胶的压片机辊筒或双螺杆挤出机机头及其运输皮带；

4 挤出机（含复合挤出机）机头；

5 开炼机辊筒；

6 压延机辊筒。

5.1.2 橡胶制品生产过程产生硫化废气的污染源应包括下列过程：

1 硫化机开模、硫化罐开罐过程；

2 再生胶脱硫罐开罐过程。

5.1.3 橡胶制品生产过程产生有机溶剂挥发气的污染源应包括下列部位：

1 胶浆制备；

2 浸胶浆；

3 胶浆喷涂；

4 金属表面喷涂胶水。

5.1.4 橡胶制品生产过程产生其他废气的污染源应包括下列部位：

1 生产用油加热脱水、保温油料罐；

2 带芯塑化。

5.1.5 橡胶制品生产过程产生炼胶粉尘的污染源应包括下列部位：

1 炭黑、大粉料解包部位；

2 炭黑、大粉料输送至日用贮斗的排放部位；

3 炭黑、大粉料称量部位；

4 混炼、终炼的密炼机投料口；

5 混炼、终炼的密炼机卸料口。

5.1.6 橡胶制品生产过程产生其他粉尘的污染源应包括下列部位及工序：

1 小粉料配料称量部位；

2 制品打磨产生粉尘飞扬部位；

3 使用粉状隔离剂部位；

4 再生胶生产的废胶粉碎工序；

5 生胶破碎复配工序；

6 翻胎的打磨工序；

7 其他产生粉尘污染的部位。

5.1.7 乳胶制品生产过程产生粉尘的污染源应在后硫化装置处。

5.1.8 乳胶制品生产中产生含氨废气的污染源应包括下列工序：

1 浸渍；

2 配料。

5.1.9 橡胶制品生产中产生恶臭的污染源应在炼胶和硫化过程。

5.2 污染源控制

5.2.1 产生废气、粉尘等污染物的橡胶加工设备宜选用密闭式，对无法密闭的设备应设污染物的收集设施。

5.2.2 炭黑及其他粉状配合剂应采用密闭管道输送、自动称量、自动投料的密闭系统。

5.2.3 橡胶制品生产过程中产生的废气应采取有组织排放措施。

5.2.4 排放废气、粉尘的部位应设置排风罩、排风围挡，排风罩宜采用密闭式，使罩内形成负压。

5.2.5 橡胶制品生产过程中产生的废气、粉尘等各种污染物的排放浓度、单位产品排气量以及排气筒高度，应符合现行国家标准《橡胶制品工业污染物排放标准》GB 27632 的规定，建厂地区污染物排放总量应满足控制指标的要求。

5.2.6 橡胶制品生产过程中恶臭污染物的排放应符合现行国家标准《恶臭污染物排放标准》GB 14554 的有关规定。

5.2.7 废气的有组织排放口应设置采样口，采样口应符合现行国家标准《固定污染源排气中颗粒物测定与气态污染物采样方法》GB/T 16157 的有关规定，必要时应设置采样监测平台。

5.3 废气治理

5.3.1 排放口未达标的热胶废气、硫化废气应设置净化处理装置，处理后达标排放。

5.3.2 废气净化系统选择应根据废气性质、组成、浓度及净化系统运行的经济性、可靠性等因素综合确定。

5.3.3 乳胶制品生产中宜采用措施回收含氨废气中的氨或处理含氨废气。

5.3.4 废气净化设施的布置应符合下列规定：

1 净化流程布置应紧凑、合理，符合工程总体设计和总平面布置的要求；

2 废气净化装置宜靠近污染源，集中布置；

3 寒冷地区废气净化装置设置应根据处理方案确定。

5.4 粉尘治理

5.4.1 对产生粉尘的污染源应设置除尘排风系统。

5.4.2 炼胶粉尘及其他粉尘应采用一级或多级除尘的方法。

5.4.3 除尘排风系统的管路设计及除尘器的选择应按现行国家标准《工业建筑供暖通风与空气调节设计规范》GB 50019 执行。

6 废水防治

6.1 污染源识别

6.1.1 橡胶制品生产主要污染源应包括下列内容：

1 生产设备及生产辅助设备冷却循环水的排污废水；

2 生产设备及生产辅助设备在事故、维护、清洗过程中以及车间地面清洗过程中排出的废水；

3 橡胶制品生产过程中产生的废水；

4 生活污水；

5 厂区初期雨水。

6.2 污染源控制

6.2.1 生产设备及生产辅助设备所需的冷却水应循环使用，并应采取水质的稳定处理，间接冷却开式系统循环水的浓缩倍数不应小于3.0。

6.2.2 设备运行、维护或发生故障产生的含油废水应设置收集设施进行单独处理，设备或车间地面清洗产生的废水应单独排放至室外进行预处理。

6.2.3 橡胶制品硫化过程中产生的废水应设置收集设施，并应单独排至室外进行预处理。

6.2.4 乳胶制品生产过程中可重复利用的废水应充分利用，浸渍工艺产生的废水应单独排至室外进行预处理。

6.2.5 生活粪便污水应经化粪池处理，食堂的含油废水应经隔油池处理，再排入厂区污水管。

6.2.6 橡胶工厂的原材料存放区域及炼胶车间应设初期雨水收集装置，初期雨水收集量不应小于汇水面积，降雨厚度不应小于

5mm的初期径流。

6.2.7 初期雨水池应设监测设施，收集的初期雨水水质符合建厂地区雨水排放要求时，可排入厂区雨水管，否则应排入厂区污水管。

6.2.8 输送废水的沟渠、地下管线、检查井等，必须采取防渗漏措施。

6.3 废水处理

6.3.1 橡胶工厂各生产及辅助车间产生的废水，应根据污染源、水质情况清污分流、按质分类，污水局部预处理应与全厂最终处理相结合。

6.3.2 污水处理场(站)的设计应根据污染物的允许排放浓度和总量控制指标，以及废水资源化利用条件，确定污水处理的工艺流程及处理深度。

6.3.3 厂区的废水排水量及水质应符合现行国家标准《橡胶制品工业污染物排放标准》GB 27632的有关规定。

6.3.4 厂区废水排出口应设置标准排污口，并应设置流量及总量控制在线监测仪。

7 噪声防治

7.1 污染源识别

7.1.1 产生噪声污染源主要生产及辅助设备应包括下列设备：

1 炼胶车间生产设备及通风除尘设备；

2 橡胶制品车间生产设备；

3 公用工程车间动力供应设备及辅助设备；

4 自备发电机房发电设备。

7.2 噪声源防治

7.2.1 橡胶工厂生产及辅助设备选型应选用噪声低、振动小的设备。

7.2.2 管道与强烈振动的设备连接，应采用柔性连接；有强烈振动的管道与建(构)筑物、支架连接，不应采用刚性连接。

7.2.3 对噪声高于80dB(A)的水泵、风机、压缩机、制冷机等公用工程设备的安装应采取减振降噪措施，进出口管道应设柔性接头。

7.2.4 管道设计应合理选择流速，管道截面不宜突变，管道连接宜采用顺流走向。

7.3 噪声传播途径控制

7.3.1 噪声大的站房宜集中布置，站房周围宜布置对噪声不敏感、高大、朝向有利于隔声的建筑物、构筑物和堆场等。

7.3.2 对噪声源较大的设备及工作场所，噪声限值应符合现行国家标准《工作场所有害因素职业接触限值　第2部分：物理因素》GBZ 2.2的有关规定。

7.3.3 在厂区周边宜种植多层次的常绿乔木和灌木。

7.3.4 厂界噪声限值应符合现行国家标准《工业企业厂界环境噪声排放标准》GB 12348的有关规定。

7.3.5 带压气(汽)体的放空应选择适用于该气(汽)体特征的放空消声设备。

8 固体废物处置

8.1 污染源识别

8.1.1 橡胶制品生产过程产生固体废物的污染源应包括下列物料：

1 橡胶制品生产所需的原材料和辅助材料的废弃包装物；

2 橡胶制品生产过程中产生的生产废品；

3 橡胶制品生产过程中的废弃辅助材料；

4 橡胶工厂粉尘治理所产生的固体废物；

5 厂区内的生活垃圾及污水处理站产生的固体废物。

8.2 污染源控制

8.2.1 生产过程中应采用先进的生产工艺和设备，并应合理选择和利用绿色原材料、清洁能源和其他资源，减少固体废物排放，实施清洁生产。工厂产生的各种固体废弃物应按其性质和特点进行分类，采取回收或其他处置措施。

8.2.2 一般工业固体废物的贮存应按现行国家标准《一般工业固体废物贮存、处置场污染控制标准》GB 18599 执行。

8.2.3 危险固体废物的贮存应按现行国家标准《危险废物贮存污染控制标准》GB 18597 执行。

8.2.4 危险固体废物严禁与一般工业固体废物混合收集、装运与堆存。

8.2.5 固体废物在处置过程中，应采取避免产生二次污染的防治措施。

8.3 贮存、运输及处置

8.3.1 固体废物的贮存，应根据排出量、运输方式、利用或处理能力，分别妥善设置堆场，不得任意堆放。

8.3.2 固体废物的运输应采取防止污染环境的措施。

8.3.3 固体废物的处理措施应符合项目环境影响评价文件及其审批意见。

8.3.4 废胶料、废橡胶制品、废包装材料等固体废物应采用综合利用措施。

9 事故应急措施

9.0.1 全厂事故应急设施应根据安全预评价和环境影响评价的要求进行设置。

9.0.2 对突发事故产生的废水应排入事故水池，厂区设有初期雨水收集池的可兼作事故水池。

9.0.3 突发事故产生的废水处理应符合下列规定：

1 符合建厂地区雨水排放要求时，可排入厂区雨水管。

2 不符合建厂地区雨水排放要求，但符合建厂地区污水排放要求时，可排入厂区污水管。

3 不符合建厂地区污水排放要求时，应做单独处理。

9.0.4 事故水池容积应根据发生事故时可能随废水流失物体的体积、消防用水量及可能进入事故水池的水量等因素综合确定。

10 环境监测

10.0.1 橡胶工厂应监测废气、废水和噪声。

10.0.2 废气监测项目应包括下列内容：

1 生产车间除尘系统排放口的颗粒物、非甲烷总烃、甲苯及二甲苯、臭气的排放浓度；

2 生产车间废气排放系统排放口的非甲烷总烃、甲苯及二甲苯、氨、臭气的排放浓度；

3 厂界的颗粒物、甲苯、二甲苯、非甲烷总烃、臭气的浓度。

10.0.3 废水监测项目应包括下列内容：

1 废水排出口：流量、pH值、总悬浮物(SS)、生化需氧量(BOD_5)、化学需氧量(COD_{cr})、石油类、动植物类、氨氮、总锌。

2 雨水排出口：流量、pH值、总悬浮物(SS)、生化需氧量(BOD_5)、化学需氧量(COD_{cr})、石油类。

10.0.4 噪声监测项目应包括厂界周围昼、夜间平均等效声级。

10.0.5 橡胶工厂建设项目应设立环境保护管理机构。

附录A　建设项目各阶段环境保护设计内容

表A　建设项目各阶段环境保护设计内容表

工作阶段	环境保护设计内容
项目建议书	1. 建设项目所在地区的环境现状； 2. 可能造成的生态环境影响及防治对策； 3. 存在的问题
可行性研究报告	1. 厂址与环境现状； 2. 设计采用的环境质量标准及排放标准； 3. 建设项目的主要污染源及污染物； 4. 环境保护设施及环境影响分析； 5. 环境保护设施投资估算； 6. 存在的问题及建议
项目申请报告	1. 建设项目所在地区的环境和生态现状描述； 2. 生态环境影响分析； 3. 生态环境保护措施； 4. 特殊环境影响
初步设计	1. 环境保护设计依据； 2. 主要污染源及主要污染物的种类、名称、数量、浓度及排放方式； 3. 对污染物采取的防治措施及预期效果； 4. 分析、评价项目投产后对生态环境造成的影响； 5. 环境保护管理和监测机构人员配备及设施； 6. 绿化用地面积及绿地率； 7. 环境保护设施的投资概算； 8. 存在的问题及建议
施工图设计	各专业应按批准的初步设计及环境保护专篇所确定的各项环境保护措施、环境保护指标和有关要求进行设计

本规范用词说明

1 为便于在执行本规范条文时区别对待，对要求严格程度不同的用词说明如下：

1）表示很严格，非这样做不可的：

正面词采用“必须”，反面词采用“严禁”；

2）表示严格，在正常情况下均应这样做的：

正面词采用“应”，反面词采用“不应”或“不得”；

3）表示允许稍有选择，在条件许可时首先应这样做的：

正面词采用“宜”，反面词采用“不宜”；

4）表示有选择，在一定条件下可以这样做的，采用“可”。

2 条文中指明应按其他有关标准执行的写法为：“应符合……的规定”或“应按……执行”。

引用标准名录

《工业建筑供暖通风与空气调节设计规范》GB 50019

《工作场所有害因素职业接触限值　第2部分：物理因素》GBZ 2.2

《工业企业厂界环境噪声排放标准》GB 12348

《恶臭污染物排放标准》GB 14554

《固定污染源排气中颗粒物测定与气态污染物采样方法》GB/T 16157

《危险废物贮存污染控制标准》GB 18597

《一般工业固体废物贮存、处置场污染控制标准》GB 18599

《橡胶制品工业污染物排放标准》GB 27632

中华人民共和国国家标准

橡胶工厂环境保护设计规范

GB 50469 - 2016

条 文 说 明

修订说明

《橡胶工厂环境保护设计规范》GB 50469—2016，经住房城乡建设部2016年8月18日以第1272号公告批准发布。

本规范是在《橡胶工厂环境保护设计规范》GB 50469—2008的基础上修订而成，上一版的主编单位是中国石油和化工勘察设计协会、全国橡胶塑料设计技术中心，参编单位是中国化学工业桂林工程公司、昊华工程有限公司、上海橡胶制品研究所、西北橡胶塑料研究设计院。主要起草人是邹仁杰、程一祥、王东明、郑玉胜、苏志、顾卫民、卢国宇、梁富积、张清宇、吴江、尹启旺、邓小健、杨彩兰、周毅、臧庆立、李贵君、胡祖忠、齐国光、罗燕民、陈宏年、李东、虞钟华、潘国栋、乐贵强、曹元礼、何道、邓蓉、魏文英、崔政梅。

本规范修订过程中，编制组进行了广泛的调查研究，总结了我国橡胶工业多年来在环境保护方面的实践经验，同时参考了国外橡胶工厂环境保护设计规范的先进技术和先进理念。

为便于广大设计、施工、科研、学校等单位有关人员在使用本规范时能正确理解和执行条文规定，《橡胶工厂环境保护设计规范》编制组按章、节、条顺序编制了本规范的条文说明，对条文规定的目的、依据以及执行中需注意的有关事项进行了说明，对强制性条文的强制性理由做了解释。但是，本条文说明不具备与规范正文同等的法律效力，仅供使用者作为理解和把握规范规定的参考。

目　　次

1 总　　则

1.0.1 根据《中华人民共和国环境保护法》,结合橡胶工厂建设项目的特点,制订本规范。制订本规范的目的是在正确的设计思想指导下,力求使新建、扩建、改建及技术改造项目对环境的污染程度减至最小。

1.0.3 本条规定了橡胶工厂建设项目环境保护设计的原则,明确规定从全局出发,统筹兼顾,结合橡胶工厂具体工程的实际情况进行环境保护、防治污染设施的设计,在工程中积极采用先进处理技术和防治措施,优化设计方案,综合考虑节约能源、节约用地、经济合理。

1.0.4 本规范是针对橡胶工厂建设项目的环境保护设计而制订的。橡胶工厂锅炉房环境保护设计应按现行国家标准《锅炉房设计规范》GB 50041 或《小型火力发电厂设计规范》GB 50049 执行。

3 基本规定

3.0.1、3.0.3 “循环经济”是对物质梯次利用的闭环流动型经济的简称。循环经济和清洁生产是一个综合性的系统工程，它涉及生产工艺革新、自然资源和能源的合理利用、“三废”综合利用、余热综合利用等方面以及生产过程污染物治理等环保设计方案。

3.0.6 国家对固体废物污染环境的防治，实行减少固体废物的产生量和危害性、充分合理利用固体废物和无害化处置固体废物的原则，以促进清洁生产和循环经济发展。对有利用价值的，应考虑采取回收或综合利用措施；对没有利用价值的，可采取无害化堆置或焚烧等处理措施。

3.0.7 “三同时”制度是我国建设项目环境管理的一项基本制度，是以预防为主的环保政策的重要体现。建设项目必须按照“三同时”的规定，把环境保护措施落到实处，防止建设项目建成投产使用后产生环境污染问题。而同时设计又是同时施工、同时投入使用的前提。

3.0.8 项目环境影响评价文件和设计文件提出的为项目配套的环境保护设施以及环境保护行政主管部门对项目环境影响评价文件的批复意见，是项目竣工环境保护验收的重要依据。项目对上述文件批复意见的落实情况及其污染防治措施的效果，是环境保护验收的重要内容。因此，环境保护设计应执行和落实环境影响报告书提出的环境保护设施及相关行政主管部门的审批意见。

3.0.10 建设项目各阶段的设计文件应按国家规定有相应的环境保护内容，并严格执行环境保护设计基本原则。

3.0.11 环境保护专篇设计应按大纲编写，纲要如下：

(1)设计依据：

1)编制依据；

2)政策与法规；

3)规范与标准。

(2)工程概述：

1)工程概况：

①基本情况；

②建设规模和产品方案；

③工作制度及时间。

2)工艺技术和生产方法。

(3)主要污染源分析：

1)废水；

2)废气、粉尘；

3)固体废物；

4)噪声；

5)污染源排放汇总。

(4)环境保护措施：

1)废水处理；

2)废气、粉尘处理；

3)噪声防治；

4)固体废物处置。

(5)绿化方案：绿化设计情况，包括布局、绿化植物的选择、绿地率等。

(6)环境管理与环境监测：

1)环境管理；

2)环境监测。

(7)环境保护专项投资。

(8)附图及附表：

1)总图；

2)工艺流程及污染物排放框图；

3)生产设备布置图；

4)生产设备一览表。

4 厂址选择与总图布置

4.0.1 本条为强制性条文。项目的建设若对环境造成损害，将是不可逆的或需要付出沉重的代价来弥补。因此需要通过区域规划和环境影响评价来对项目厂址的选择进行控制和指导，故本条规定了厂址选择必须满足区域规划和各类环境影响评价的要求，同时也可以推动区域规划和各类环境影响评价的工作。

4.0.2 橡胶工厂建设项目在前期工作中，不仅要考虑项目自身的环境影响问题，而且还要考虑拟选厂址与区域规划的关系。确定厂址前，一定要对其地理位置、地形地貌、地质、水文气象、城市规划、工农业布局、资源分布、自然保护区及其发展规划等进行充分的调查研究，并收集建设地区的大气、水体、土壤等环境要素背景资料。

4.0.3 本条规定了不应建设橡胶工厂的一些区域，这些区域的范围应以国家或省、自治区、直辖市规定或批准的范围为准。如在建设过程中出现毁坏这些保护对象的现象，则会给环境造成无法弥补的损害。因此应与有关部门充分协商，在取得确切的批复后，方可确定厂址。

中华人民共和国国务院令《风景名胜区条例》中规定："风景名胜区是指具有观赏、文化或科学价值，自然景观、人文景观比较集中，环境优美，可供人们游览或者进行科学、文化活动的区域"，《中华人民共和国自然保护区条例》中规定："自然保护区是指对有代表性的自然生态系统、珍稀濒危野生动植物物种的天然集中分布区，有特殊意义的自然遗迹等保护对象所在的陆地、陆地水体或者海域，依法划出一定面积予以特殊保护和管理的区域。"

4.0.4 本条所指生活居住区是指城市规划确定的居住区和乡、村居民点，不包括厂区内配套建设的倒班宿舍等生活服务设施。在厂址选择中，应充分考虑到风的影响，因此本条规定了橡胶工厂的建设项目应布置在全年最小频率风向的上风侧，以尽量减少对生活居住环境造成的影响。

4.0.5 橡胶工厂的行政管理和生活设施一般不产生废气、粉尘、废水和噪声，将其布置在靠近生活区的一侧，则相对加大了污染源与生活区之间的距离，有利于改善生活区的环境条件。

4.0.6 厂区的总图布置除应满足生产工艺要求外，还应有利于环境保护，使污染物对环境的影响降到最小，而且还要考虑污染物质之间的相互作用。

4.0.7 在厂区和车间附近栽植树木花草，不仅能美化环境，而且还可以减少粉尘、噪声对环境的影响。绿地率应结合橡胶建设项目所在地的有关绿化要求执行。国土资源部制定的《工业项目建设用地控制指标》中规定绿地率不得超过20%，但绿化有利于环境保护，结合对橡胶工厂的调查情况，本条规定了绿地率的下限值。同时通过对厂界四周设置绿化带来减少对周边环境的影响。

4.0.8 为了减少生产设施噪声对外界环境的影响，对于产生较大噪声的设施（如空压站）不宜布置在靠近厂区边界的地带，确需布置在这些地带时，应通过配备相应的降噪设施来满足环境保护的要求。

4.0.9 本条为新增条文。本条规定了固体废物堆场防止扩散的要求。

5 废气、粉尘防治

5.1 污染源识别

5.1.1、5.1.2 橡胶制品生产过程中产生的废气主要为热胶废气和硫化废气。

热胶废气主要来源于橡胶制品生产过程的炼胶和压延、挤出工序，橡胶混合物在剪切力的作用下温度升高，产生废气。主要是橡胶的热裂解产物，成分复杂，不同的配方和不同的加工条件下所产生的废气组分大不相同，而且差异较大。经 GC－MS 法测定，热胶废气中主要含有 42 种化合物，其主要成分是烷烃、烯烃和芳烃等聚异戊二烯胶的裂解产物。目前按非甲烷总烃作为表征热胶废气的特殊污染因子。

硫化废气主要来源于橡胶制品生产过程的硫化工序，橡胶混合物在较高的压力和温度下发生交联反应，形成弹性体，在硫化机开模时散发出硫化废气。其主要含有橡胶中的低挥发物、配合剂中的低分子挥发物和橡胶硫化反应中生成的低分子物质等。硫化废气成分复杂，且有些组分含量又相当低，要准确确定其成分相当困难，况且其成分还随着胶料的配方、硫化温度、硫化方法的不同而有差异。检测表明，硫化废气中多达 138 种以上的组分，可定性的有机组分 58 种，其中含硫化合物 9 种，含量较多的是二氧化硫、烷烃、芳烃、多环芳烃、有机酸、酚类等。目前按非甲烷总烃作为表征硫化废气的特殊污染因子。

由于热胶废气和硫化废气中有机成分占大多数，这就构成了废气的恶臭性质。

5.1.3 有机溶剂挥发气体的主要污染物为非甲烷总烃、甲苯及二甲苯溶剂汽油及橡胶溶解物（即橡胶溶于胶浆中）。

5.1.5 炼胶粉尘主要产生于炼胶工序，其主要污染物为颗粒物。其中密炼机投料口及卸料口部位产生的粉尘主要以炭黑、大粉料为主，同时含有少量配合剂。

5.1.6 其他粉尘主要污染物为颗粒物。粉状隔离剂主要指滑石粉、碳酸镁等，其在投料搅拌、喷涂等工序产生粉尘。

5.1.8 氨是乳胶制品生产中的特征污染物，在浸渍、配料工序中大量使用氨水，挥发产生含氨废气。

5.2 污染源控制

5.2.2 橡胶制品生产过程所使用的粉状配合剂，用量最多的是炭黑，其次是大粉料（即用量较多的白炭黑、氧化锌、碳酸钙、陶土等），再次是小粉料（即用量极少的促进剂、防老剂、硫化剂等）。这些粉料在操作过程中易造成粉尘污染。粉尘污染的大小与选用的技术和设备有关，造成危害程度的大小与选用配合剂的品种有关。因此应选择技术先进、经济合理的流程和设备，使粉料的解包、输送、称量、投料和混炼的整个过程自动化、密闭化，减少粉尘对环境的污染。

5.2.3 为减轻废气对环境的污染，橡胶工厂的废气排放方式应根据厂房的实际条件采用有组织排放。

5.2.4 设置密闭式排风罩是为了尽可能多地捕集污染物，合理的吸气口位置、结构和风速易于使排风罩内形成负压，有效防止废气、粉尘外泄。

5.2.5 为了保护环境，减轻污染，根据总量控制、增产不增污、增产减污的原则，各地区都制定了污染物总量控制指标，因此橡胶工厂环境保护除应满足国家标准外，尚应满足当地污染物总量控制指标的要求。总量控制指标值应从环境影响评价报告的批文中获得。

参照现行国家标准《橡胶制品工业污染物排放标准》GB 27632，根据橡胶制品生产工艺要求，废气的排气筒高度不应低于

15m，当排气筒周围半径200m范围内有建筑物（主要指生活办公用途建筑物）时，排气筒高度应高出最高的这类建筑物3m以上。

5.2.7 《环境监测管理办法》（国家环保总局令第39号）规定企业应承担环境监测的责任和义务，本条按该办法制订。为便于进行污染源废气监测，本条要求对排放废气的排气筒在设计时应留有采样口。

5.3 废气治理

5.3.2 针对橡胶制品工业产生的热胶废气和硫化废气，目前治理的方法很多，通常宜采用的有氧化喷淋吸收法、吸附回收法、催化燃烧法、催化氧化法、生物法等。

5.3.3 含氨废气处理方法包括水吸收法、酸液吸收法等，可使排放浓度符合现行国家标准《橡胶制品工业污染物排放标准》GB 27632的规定。

5.3.4 本条是关于废气净化设施布置的一般规定。在寒冷地区应根据具体治理方案确定室内或室外安装，避免因冻结使装置无法运行。

6 废水防治

6.1 污染源识别

6.1.1 本条对橡胶制品生产主要污染源作了规定。

3 橡胶制品生产过程产生的废水主要有橡胶制品设备在硫化过程中产生的含油废水、乳胶生产过程中半成品的清洗及浸渍产生的废水、橡胶废气治理过程中排放的废水、生产辅助设施(如水泵房、动力站、空压站、机修车间等)排放的废水。

6.2 污染源控制

6.2.1 橡胶制品的生产设备的冷却水量较大,控制循环冷却水的浓缩倍数和投加水质稳定药剂关系到循环冷却水的排污量及排污水质,循环冷却水的浓缩倍数控制在3倍~5倍,使循环利用率达98%以上,投加的水质稳定药剂应是对环境影响小、无毒的产品。

6.2.3 橡胶制品硫化过程有废水排出时带有设备泄漏的机油,要单独排放至室外,做隔油处理。

6.2.4 乳胶制品生产的废水主要为产品浸渍工艺产生的废水,属接触性废水,乳胶与水直接接触,污染物排放负荷较大,主要污染物为生化需氧量(BOD)、化学需氧量(COD)、悬浮性颗粒物、总锌等,因此要求一水多用,减少用水量。

6.2.5 建厂地区对生活粪便污水允许不设化粪池处理或企业设有污水处理站的,可不设化粪池。

6.2.6 橡胶制品有许多细粉料,特别是炭黑,在运输、装卸、投料过程中存在泄漏现象,因此在原材料存放区、炼胶工段收集初期雨水,防止受炭黑、小粉料污染的雨水排出厂外。

6.2.8 若污水管渗漏,则污染地下水,破坏土壤结构;相反若地下水或雨水渗入污水管,则增加污水处理负荷。

6.3 废水处理

6.3.1 橡胶工厂生产产生的废水主要成分为机油或炭黑,对含机油或炭黑成分较高的废水进行局部分离,可减轻后续污水处理的负荷。

6.3.2 废水处理应进行优化设计,既经济又达到环保要求,中水回用是提高水资源重复利用率、节约用水、减少排污的有效措施,有条件的地区应充分考虑。

6.3.4 为防止废水超标排放,需对厂区废水排放口做在线监测,并留有采样口,以便检查人员取样,橡胶制品废水中的主要污染物为:SS、石油类、BOD、COD、氨氮;乳胶制品废水中的主要污染物为:SS、BOD、COD、氨氮、总锌。

7 噪声防治

7.1 污染源识别

7.1.1 产生噪声的主要生产及辅助设备列举如下：

1 炼胶车间生产设备及通风除尘设备：开炼机、密炼机、双螺杆挤出压片机、滤胶机等；

2 橡胶制品车间生产设备：挤出机、压延机、裁断机、硫化机等；

3 公用工程车间动力供应设备及辅助设备：水泵、风机、空压机、制冷机等；

4 自备发电机房发电设备：柴油发电机、汽轮发电机。

7.2 噪声源防治

7.2.1～7.2.3 振动和噪声有着密切的联系。许多噪声是由振动诱发产生的，水泵、风机、压缩机的机座和基础会因振动而传递噪声，因此在对声源进行控制时，参照现行国家标准《工业企业噪声控制设计规范》GB/T 50087，生产车间噪声限值为85dB(A)，考虑噪声叠加，规定当水泵、风机、压缩机的噪声高于80dB(A)时，应考虑减振及降噪措施。

7.2.4 本条规定的目的是降低管道系统的空气动力性噪声，主要降低湍流噪声。

7.3 噪声传播途径控制

7.3.5 高压放空排气噪声是排气喷流噪声的一种。排气喷流噪声的特点是声级高、频带宽、传播远。排气喷流噪声是由高速气流冲击和剪切周围静止的空气，引起剧烈的气体扰动而产生的。尤其是锅炉超压放空时,放空位置高,且时间长,高压放空噪声的控制方法是在排气管上安装消声器,并考虑排气口噪声扩散的指向性。

8 固体废物处理

8.1 污染源识别

8.1.1 橡胶制品生产过程中产生的生产废品，包括原材料及半制品边角料、半制品废品及成品废品；橡胶制品生产过程中的废弃辅助材料，包括废胶囊、废垫布、废包装袋、废油、空油桶；橡胶工厂粉尘治理所产生的固体废物，包括回收的废炭黑、废粉料、废除尘滤材。

8.2 污染源控制

8.2.1 为了从源头控制污染的产生，工艺设计应积极采用无毒无害或低毒低害的绿色原材料和清洁能源，采用不产生或少产生污染的新技术、新工艺、新设备，最大限度地提高资源、能源利用率，尽可能在生产过程中把污染物减少到最低限度。

8.2.4 本条为强制性条文。危险废物由于具有相应的危险特征，严禁与一般固体废物混合收集、装运与堆存，避免造成一般工业固体废物变成危险废物的可能。

8.2.5 固体废物在处置过程中，有可能产生二次污染，如固体废物在焚烧过程中，由于不完全燃烧，会产生臭味、一氧化碳气体、二噁英等污染物质，造成二次污染，因此在设计中要同时考虑防治措施，而且必须达到国家有关规定的要求。

8.3 贮存、运输及处置

8.3.1 固体废物的贮存应设置专用堆场，并且具备足够的贮存能力，避免乱堆乱放，污染环境。

8.3.2 固体废物在运输过程中，不能污染环境。如输送含水量大的废渣时,应采取措施避免沿途滴洒;易扬尘废灰的装卸和运输,应采取密闭或增湿等措施,防止发生污染事故。

8.3.4 废胶料、废橡胶制品可以再利用,如用于生产再生胶、胶粉等;废橡胶制品中的钢丝、纤维也可回收利用;废包装材料也有再利用的方法,如纸质包装袋碎解后可以重新制成包装纸。

9　事故应急措施

9.0.3　橡胶制品生产发生事故产生有污染的废水主要在粉料仓库(炭黑、小粉料)、油料罐区及炼胶工段,当兼用的初期雨水池不能满足要求时,应增加其不足部分的容积。

9.0.4　事故水池的容积=事故废水最大量(即区域内室内外消防总量+流失物体的体积)－围堤及可存积废水容积－排放废水管道容积。

10 环境监测

10.0.2～10.0.4 生产过程中若不产生这几条所列出的污染物，则可不进行监测。

10.0.5 环境监测在环境保护工作中占有主要地位，是环境保护工作的基础，也是防治环境污染的依据。为了及时准确地反映污染状况，掌握发生污染的原因及危害程度，本条提出橡胶工厂应设置环保管理机构，根据需要对污染物排放实施随机监测，为环保设施是否正常运行提供依据。对橡胶工厂环保管理机构无法完成监测的项目，应委托环保监测机构进行环境监测工作。